Y0-BSV-428

Für alle Kinder, die den Bären ins Herz geschlossen haben.
Vielen Dank, dass ihr meine Geschichten lest!
K. W.

Für Boo – Ich liebe dich.
J. C.

ISBN 978-3-7855-7833-9
1. Auflage 2014
Titel der Originalausgabe: *Bear's new friend*,
erschienen 2006 bei Margaret K. McElderry Books,
an imprint of Simon & Schuster Children's Publishing Division
Copyright Text © 2006 Karma Wilson
Copyright Illustration © 2006 Jane Chapman
Alle Rechte vorbehalten
Aus dem Englischen übersetzt von Linde Zwerg
© für die deutschsprachige Ausgabe: Loewe Verlag GmbH, Bindlach 2014
Umschlaggestaltung: Franziska Trotzer
Printed in China

www.loewe-verlag.de

Karma Wilson · Jane Chapman

Bär findet einen Freund!

Es ist sonnig und warm draußen,
ein richtig schöner Sommertag.
Der Bär hat große Lust, zum
Spielen hinauszugehen.

Also macht sich der Bär auf die Suche
nach seiner kleinsten Freundin, der Maus.
Aber gerade, als er um die Ecke stapft …

… hört er ein Rascheln in den Bäumen!
Was kann das nur sein?

Und der Bär denkt: „Nanu?"

Der Bär ruft hinauf:
„Ist das die kleine Maus, die sich da im Baum versteckt?“
Doch die Maus kommt herangeflitzt und piepst:
„Das bin nicht ich!“

Der Bär kratzt sich am Kopf.
„Wer versteckt sich nur da oben?“
Die Maus zuckt mit den Schultern.
„Vielleicht ist es der Hase?“

Die Maus beginnt zu rufen:
„Komm runter, lieber Hase, komm runter!“

Und der Bär denkt: „Nanu?“

Keine Antwort.
„Wer ist das nur?“,
wundert sich der Bär.
Sie spähen zwischen
den Ästen hindurch,
doch sie können
niemanden entdecken.

„Da ist niemand!“, ruft der Bär.
„Aber wo ist er bloß hin?“
Da kommt der Hase angehoppelt
und grüßt fröhlich:

„Hallöchen!“

„Etwas ist gerade schnell wie der Blitz
an mir vorbeigezischt!“,
erzählt der Hase aufgeregt.

Und der Bär denkt: „Nanu?"

„Schnell hinterher, vielleicht entdecken wir
ja etwas“, schlägt der Hase vor.
Und der Bär sagt: „Vielleicht ist es ja der Dachs?
Wer könnte es denn sonst noch sein?“

Aber da sehen sie den Dachs schon.
Neugierig späht er zusammen mit
dem Murmeltier und dem Maulwurf
in ein tiefes Erdloch.

„Schaut auch mal hinunter, wenn ihr euch traut“, …

… sagt der Dachs zu seinen Freunden.
„Da ist jemand drin!“

Und der Bär denkt: „Nanu?“

„Es ist keiner von uns“,
stellt der Bär fest.
„Wer kann es nur sein?“
„Ich weiß es!“, ruft der Dachs.
„Es können nur noch der Rabe
oder der Zaunkönig sein.“

Doch da landen die beiden
auch schon neben ihnen.
„Wir haben euch alle hier entdeckt,
da dachten wir, wir fliegen mal vorbei.“

Tief aus dem Erdloch
tönt plötzlich ein leises Rascheln.

Und der Bär denkt: „Nanu?“

„Wer bist du, da unten?
Los, sag schon, wer du bist!
Warum verkriechst du dich
an diesem sonnigen Tag
in einem dunklen Loch?“

„Warum magst du uns nicht?
Nun sag schon, warum, warum, warum?“
Da hören sie eine zittrige Stimme aus dem Erdloch.
„Weil ... weil ich so schüchtern bin.“

Zwei Äuglein spitzen plötzlich heraus
und die Stimme sagt: „Nanu?“

Und der Bär sagt: „Hallo!“

„Hallöchen, ich bin Bär!
Das hier sind Maus und Hase.
Da drüben stehen Murmel,
Maulwurf und der Dachs.

Und bei den Büschen siehst du
Rabe und Zaunkönig.
Komm doch mit uns allen
zum Baden an den See!“

„Bitte versteck dich nicht länger,
komm raus zu uns!“

Und plötzlich …

… ruft eine Eule:

„Schu-huu-schu-huuu!"

„Hallo, ich bin die Eule.
Entschuldigt, dass ich euch so
erschreckt habe. Aber ich bin etwas scheu
und darum habe ich mich versteckt.“

„Hallo, Freund!“, sagt der Bär.
„Komm mit uns!“, sagt der
Maulwurf.

Und so machen sich alle
gemeinsam auf den Weg zu
ihrem Lieblingsplatz am See.

Sie planschen und spritzen in der heißen Sommersonne.

Und mit dabei ist Bärs neuer Freund.